34 95

Bisutería
con materiales
Reciclados

Agradecimientos

Agradezco a mi familia, mis amigos y mis queridos clientes que me hayan acompañado y apoyado durante todo el tiempo, animándome a escribir este libro.

Muchísimas gracias a Trashdesignmanufaktur por el collar con alambres multicolores (página 42).

Mi agradecimiento a la bodega Studeny, en Sooss (Austria), por suministrar los corchos de botellas de vino para realizar el proyecto de la página 38.

Editora: Eva Domingo

Título original: *Schmuckes Recyceln* de Katharina Krammer
Publicado por primera vez en Alemania en 2012 por Christophorus Verlag GmbH & Co. KG, Freiburg.

© 2012 *by* Christophorus Verlag GmbH & Co. KG, Freiburg
© 2013 de la versión española *by* Editorial El Drac, S.L.
    Marqués de Urquijo, 34. 28008 Madrid
    Tel.: 91 559 98 32. Fax: 91 541 02 35
    E-mail: info@editorialeldrac.com
    www.editorialeldrac.com

Texto: Katharina Krammer, Clooncy, www.clooncy.at
Fotografías: Paul Kolp, www.paul-kolp.at
Maquillaje y estilismo para la fotografía de la autora: Marion Artner, ArtnerStyle, www.artnerstyle.at
Colaboración especial: (proyecto pág. 42): Christian Cebis, TDM, www.trashdesign.at
Diseño de cubierta: José María Alcoceba
Traducción: Cristina Rodríguez Aguilar
Revisión técnica: Julia García Abadía

Fabricantes:
KnorrPrandell, una marca de Creative Hobbies Group
Marianne Hobby
Pracht Creatives Hobby GmbH
Rico Design GmbH & Co. KG
Distribuidores:
Heuberger Perlenkiste, www.perlenkiste.at
Glücksperle, www.glasperlen.at
Perlenmix, www.perlenmix.at

ISBN: 978-84-9874-328-9
Depósito legal: M-7.433-2013
Impreso en Artes Gráficas COFÁS
Impreso en España — *Printed in Spain*

Bisutería
con materiales
Reciclados

KATHARINA KRAMMER

DRAC

Índice

Piezas únicas DE BISUTERÍA RECICLADA

Desde mi infancia, la creatividad ha sido el hilo conductor de mi vida. Después de concluir mis estudios de publicidad, supe claramente que quería trabajar en el área de la creación y el diseño, realizando mi propia bisutería.

Hace dos años comencé a hacer piezas de bisutería con objetos reciclados. Cada día veo nuevas cosas interesantes con las que se puede elaborar una bisutería maravillosa. La búsqueda de materiales reciclados tiene relación con mi prioridad de vivir de una forma concienciada con el medio ambiente.

Mis piezas de bisutería son únicas, personalizadas y pensadas para gente especial. Accesorios como collares, anillos o pendientes ya no tienen por qué estar hechos de oro y plata. Está más de moda llevar una pieza de bisutería única y que tenga su propia historia. Después de todo, se pueden encontrar objetos multicolores y brillantes realizados con materiales muy diferentes.

Les presento distintos enfoques para conseguir soluciones creativas y obtener algo nuevo a partir de objetos cotidianos. Espero que les guste este libro.

¡Les deseo mucho éxito realizando sus propias piezas de bisutería!

KATHARINA
KRAMMER

Materiales y técnicas

MATERIALES RECICLADOS

Básicamente, cualquier material que nos guste es apropiado para crear piezas de bisutería con materiales reciclados. Si ponemos atención, es posible encontrar distintos objetos que pueden ser reutilizados. Prácticamente se encuentran materiales en todas partes. A modo de sugerencia, a continuación se incluye una pequeña lista de materiales reciclados que son fáciles de transformar en bisutería: alambre de aluminio, lápices de colores, estuches para CD, teclado de ordenador, anillas de latas, alambre de electricista, corchos de botellas, mangueras de jardín, teclado del teléfono móvil, vasos de yogur, cápsulas de café, piezas de Lego®, tapaderas de tarros de mermelada, cables de red eléctrica, arandelas, botellas de plástico, pelo de peluche, viejas borlas, cremalleras, discos de música, relojes, embalajes y restos de lana.

CUENTAS Y OTROS MATERIALES

Para realizar mis piezas de bisutería suelo combinar los materiales reciclados con diferentes cuentas y elementos de bisutería: cuentas de cristal y de plástico, colgantes charms, bolas de Fimo® y de fieltro, plumas, piezas metálicas y muchos otros ornamentos. En mi opinión, el encanto radica en el contraste entre lo antiguo y lo nuevo. Las indicaciones de las cantidades y los tamaños de las cuentas son solo una propuesta. Trabaje siguiendo sus propias ideas y disfrute del resultado.

HERRAMIENTAS AUXILIARES

Seguramente, muchas de las herramientas auxiliares se encuentran ya dentro de su caja de herramientas o de manualidades. Para la realización de bisutería es imprescindible disponer de unas tenazas prensoras (para abrir y cerrar las anillas), unos alicates de punta redonda (para curvar los alambres y los bastones de alambre con aro y con presilla) y unos alicates de punta plana (para apretar las chafas). Se recomienda usar unas tijeras para chapa (o unos alicates de corte lateral) para cortar el alambre de aluminio y otros metales. Para hacer pequeños cortes con precisión, utilizo unas tijeras de manicura.

Es muy útil disponer de un pequeño taladro eléctrico con piezas adicionales (una lijadora y una broca pequeña). Otra alternativa es perforar los agujeros con un punzón y una barrena de mano, pero requiere un poco más de esfuerzo.

Para aplanar las cápsulas de Nespresso® es muy práctico utilizar una maza de goma o un ablandador de carne. Para conseguir aros de alambre perfectamente redondos me gusta emplear un bastón para anillos, pero se pueden usar otros objetos redondos del tamaño del dedo, como por ejemplo barras de carmín o de cacao.

Utilizo una pistola de pegamento caliente para pegar los materiales. Se debe tener mucho cuidado porque el pegamento sale a una temperatura muy elevada; además, nunca hay que perder de vista esta pistola. Recomiendo usar unos guantes protectores si hay que trabajar con objetos recién pegados.

EQUIPAMIENTO BÁSICO

Tenazas prensoras
Alicates de punta plana
Alicates de punta redonda
Tijeras de manicura
Tijeras para chapa / Alicates de corte lateral
Taladro eléctrico pequeño
Pistola de pegamento caliente

Estos materiales son necesarios para realizar casi todas las piezas de bisutería presentadas en este libro, por lo que no se vuelven a incluir en las listas de materiales de cada proyecto.

INDICACIONES TÉCNICAS

Los collares terminados de este libro tienen una longitud de unos 43 cm. Si se desea hacer un collar más largo o más corto, utilizar una cantidad mayor o menor de la indicada para las cuentas y el alambre.

Terminar el collar: una vez enfiladas todas las piezas en el hilo de alambre, enfilar dos chafas y la mitad del cierre en cada extremo del mismo, sin doblarlo. Volver a enfilar el hilo de alambre a través de las chafas, fijar estas y cortar el alambre que sobra. Cubrir las chafas con cubrechafas.

Interpretación de los iconos

TIEMPO DE REALIZACIÓN

GRADO DE DIFICULTAD

MATERIALES

HERRAMIENTAS AUXILIARES

INSTRUCCIONES DE TRABAJO O CONSEJOS IMPORTANTES

Teclado

BISUTERÍA 1

 30 MINUTOS

 MEDIO

BISUTERÍA uno
Teclado

- Teclado de ordenador
- 24 dados de cristal de color negro, de 6 mm
- Cuentas plateadas, 5 de 12 mm Ø, 26 de 6 mm Ø y 2 de 4 mm Ø
- 2 cuentas de cristal tallado de color negro, de 10-12 mm Ø
- Alambre para bisutería, de 0,35 mm Ø y 50 cm
- 1 cierre magnético
- 4 chafas
- 2 cubrechafas, de 3 mm Ø
- 2 ganchos para pendientes
- 2 bastones de alambre con aro, de 35 mm de largo
- 1 base para anillos

- Equipamiento básico (pág. 8)
- Pistola de pegamento caliente
- Destornillador

- Son más adecuadas las teclas antiguas, más anchas, que las nuevas teclas planas.

COLLAR:

Desprender las teclas elegidas del teclado (por ej., con un destornillador). Perforar un agujero a derecha e izquierda de cada tecla con el taladro eléctrico pequeño. Enfilar las teclas y las cuentas en el alambre para bisutería, empezando desde el centro del mismo y hasta utilizar todas. Terminar el collar (página 8).

Rellenar la parte posterior de las teclas con la pistola de pegamento caliente.

PENDIENTES:

Perforar un agujero pequeño en los bordes superior e inferior de las teclas, utilizando un taladro eléctrico pequeño. Enfilar una tecla, una cuenta plateada y otra de cristal tallado negro en un bastón de alambre con aro; luego curvar una anilla en el extremo del bastón de alambre con los alicates de punta redonda. Fijar los ganchos para pendientes. Rellenar la parte posterior de las teclas con pegamento caliente.

ANILLO:

Desprender la tecla deseada del teclado. Rellenar con pegamento caliente y después colocar la base para el anillo y dejar secar bien.

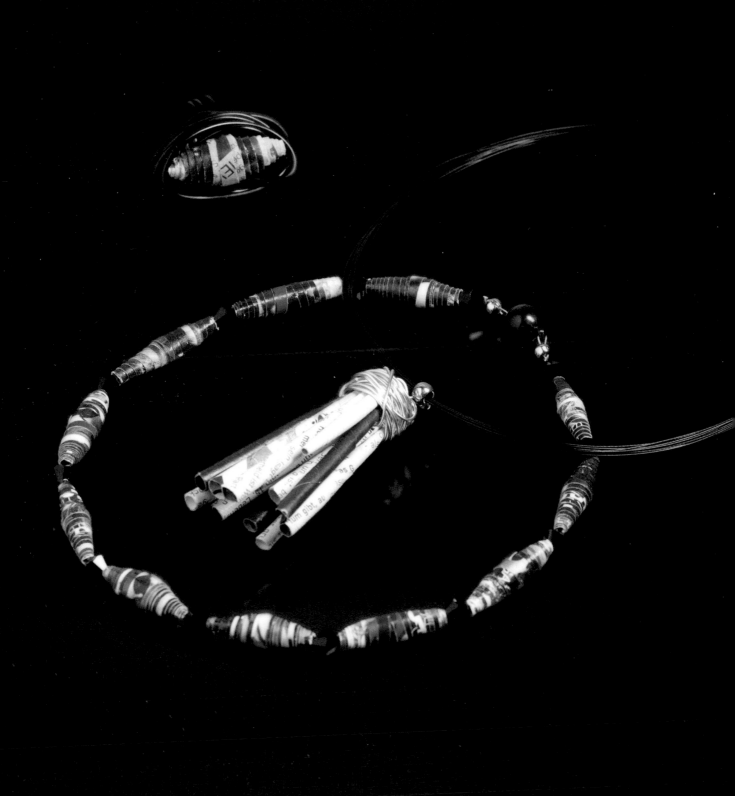

Papel

BISUTERÍA 2

 30 MINUTOS

 MEDIO

BISUTERÍA dos
Papel

COLLAR:

Cortar los periódicos y las revistas en tiras de 15-20 cm de largo y 4-5 cm de ancho. Si se recorta el papel con forma triangular se obtiene una cuenta con una forma bonita. Colocar el extremo ancho de la tira de papel sobre un palillo y enrollarla alrededor apretando bien; aplicar de vez en cuando un poco de pegamento en la tira. Una vez que todo el papel esté enrollado, pincelar con pegamento sobre la cuenta de papel y dejar secar. Despúes, enfilar las cuentas de papel en el alambre para bisutería, alternándolas con las cuentas de cristal Swarovski®. Terminar el collar (página 8).

COLGANTE:

Hacer cuentas de papel de color blanco y negro a partir de tiras rectas de papel de 20 cm de largo y 5 cm de ancho aproximadamente. Unir las cuentas y fijarlas todas juntas enrollando en uno de sus extremos varias vueltas de alambre de aluminio. Enfilar la anilla y colgar el colgante en un collar o cadena adecuados.

ANILLO:

Enrollar tres aros de alambre de aluminio, con el tamaño deseado, alrededor del bastón para anillos. Retorcer un extremo del alambre de modo que quede oculto. Enfilar el otro extremo del alambre a través de una cuenta de papel y enrollarlo varias veces alrededor de esta. Luego enrollar el extremo en el borde, de manera que también quede oculto.

- Periódicos y revistas
- Alambre para bisutería, de 0,35 mm Ø y 50 cm
- 12 cuentas de cristal Swarovski®, de 6 mm
- 1 cierre magnético
- 4 chafas
- 2 cubrechafas
- Alambre de aluminio, de 2 mm Ø y 80 cm aprox.
- 1 anilla
- Bastón para anillos o similar

- Equipamiento básico (pág. 8)
- Pegamento para servilletas
- Pincel
- Palillo de dientes

- Las cuentas son más bonitas si se hacen con papel grueso de revistas en color.

Nespresso® 1

BISUTERÍA 3

 90 MINUTOS

 DIFÍCIL

Nespresso®1

- 50 cápsulas de Nespresso®
- Cuentas doradas, plateadas y blancas (23 de cada color), de 8 mm Ø
- 1 cierre magnético
- Alambre para bisutería, de 0,35 mm Ø, 2 trozos de 60 cm cada uno
- 6 chafas
- 2 cubrechafas

- Equipamiento básico (pág. 8)
- Maza de goma o ablandador de carne
- Pistola de pegamento caliente
- Guantes de trabajo
- Aguja

- No aplicar demasiado pegamento sobre las cápsulas para evitar que se derrame por los lados.

COLLAR:

Aplanar las cápsulas aplicando golpes con la maza de goma. Pegar las cápsulas, de dos en dos, con pegamento caliente y dejar que se enfríen. Después, perforar dos agujeros opuestos en cada cápsula utilizando una aguja.

Enfilar las cápsulas y las cuentas, de forma alterna, en los dos extremos del alambre para bisutería.

Una vez enfiladas todas las piezas, pasar juntos los dos extremos del alambre a través de una chafa y fijar esta con los alicates de punta plana.

A continuación, enfilar más cuentas en los dos extremos juntos del alambre, hasta que el collar alcance la longitud deseada. Terminar el collar (página 8).

Ventilador

BISUTERÍA 4

60 MINUTOS

!!! DIFÍCIL

- 2 ventiladores (de ordenadores viejos)
- 1 cápsula de Nespresso®
- Cables viejos, un total de 50 cm
- 2 conectores para bisutería
- Alambre de aluminio, de 1 mm Ø y 10 cm
- Alambre de aluminio, de 2 mm Ø y 30 cm
- 1 colgante con anilla
- 1 cierre magnético
- 4 anillas
- 1 base para anillos

- Equipamiento básico (pág. 8)
- Maza de goma o ablandador de carne
- Pegamento de contacto

- También se pueden utilizar ventiladores de mano pequeños.

B I S U T E R Í A cuatro
Ventilador

C O L L A R :

Retirar con cuidado el ventilador del ordenador.

Aplanar una cápsula de Nespresso® con la maza de goma y pegarla en el agujero central del ventilador, utilizando pegamento de contacto. Cortar el revestimiento de un cable y sacar los alambres del interior. Reunir los alambres combinando colores como se desee y unirlos por ambos lados con un alambre de aluminio de 1 mm Ø. Pegar los alambres en un cierre magnético con pegamento de contacto. Fijar los conectores para bisutería en los alambres. Perforar un agujero en un aspa del ventilador con el taladro eléctrico y fijar el colgante en el collar por medio de anillas.

A N I L L O :

Perforar un pequeño agujero en el ventilador. Enfilar el alambre de aluminio de 2 mm Ø por el agujero y pegarlo en el lado inferior del ventilador. Modelar unas bonitas lazadas con el alambre de aluminio y después ocultar el extremo del mismo entre las lazadas. Pegar la base para anillos en la parte posterior del ventilador con pegamento de contacto y presionar un poco.

BISUTERÍA 5

60 MINUTOS

MEDIO

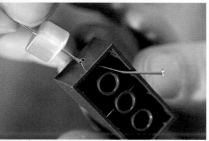

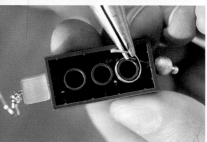

BISUTERÍA cinco
Lego®

COLLAR:

Perforar una pieza de Lego® haciendo un agujero en cada lado corto y otro en el centro de un lado largo. Enfilar la pieza en el alambre para bisutería. Luego enfilar los dados y las cuentas, a izquierda y derecha de la pieza de Lego®, hasta obtener la longitud deseada del collar. Terminar el collar (página 8).

Insertar el bastón de alambre con aro a través del agujero inferior de la pieza de Lego® y curvar una anilla en el extremo. Dividir la cadena de eslabones en 13 trozos de diferente longitud, unirlos con una anilla y engancharlos en el bastón de alambre con aro.

Colgar los charms en las cadenitas. Perforar agujeros en el lado corto de otras piezas de Lego®. Insertar en ellas los bastones de alambre con bola y curvar una anilla en el extremo. Rellenar el reverso de todas las piezas con pegamento caliente. Una vez endurecido el pegamento, colgar las piezas de Lego® en la cadena por medio de anillas.

PENDIENTES:

Para realizar un pendiente, perforar un agujero en cada lado corto de una pieza de Lego®. Enfilar una cuenta, una pieza de Lego® y otra cuenta en un bastón de alambre con bola; luego curvar una anilla en el extremo del bastón. Rellenar la pieza de Lego® con pegamento caliente.

ANILLO:

Perforar dos agujeros en los extremos de la cinta de caucho. Insertar la barra del piercing en un lado de la cinta. Perforar dos agujeros en los lados opuestos de una pieza de Lego® y enfilarla en la barra del piercing. Por último, insertar la barra del piercing a través del otro lado de la cinta de caucho y fijarla con la bola.

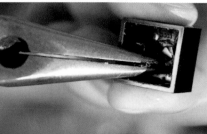

- 10 piezas de Lego®
- Dados de color blanco y plateado (34 de cada color aprox.), de 4 mm
- Unas 34 cuentas de cristal de color rosa, de 4 mm Ø
- 7 colgantes charms
- Alambre para bisutería, de 0,35 mm Ø y 50 cm
- Cadena de eslabones, de 30 cm
- 1 bastón de alambre con aro, de 45 mm
- 2 bastones de alambre con bola
- 7 anillas
- 4 chafas
- 2 cubrechafas
- 1 cierre magnético
- 2 ganchos para pendientes
- Cinta de caucho, de 6 cm
- 1 piercing con barra

- Equipamiento básico (pág. 8)
- Pistola de pegamento caliente

- Decorar el reverso de las piezas aplicando purpurina.

Estuche para CD

 100 MINUTOS

 DIFÍCIL

Estuche para CD

- Estuches para CD
  de colores
- 8 cuentas acrílicas
  ovaladas,
  de 15-20 mm
- 6 cuentas polaris,
  de 10 mm Ø
- 16 cuentas de cristal
  Swarovski®, de 4 mm
- 1 cuenta plateada,
  de 6 mm Ø
- 10 anillas, de 8 mm Ø
- Alambre para
  bisutería, 2 trozos
  de 30 cm
- Alambre de aluminio,
  de 2 mm Ø y 80 cm
- 1 cierre magnético

- Equipamiento
  básico (pág. 8)
- Papel para hornear,
  bastón para anillos
  o similar

- Se recomienda
  utilizar gafas de
  protección al cortar
  los estuches para
  CD, pues suelen
  saltar piezas de
  plástico pequeñas
  y puntiagudas
  durante el corte.

C O L L A R :

Cortar el estuche para CD en piezas de diferentes formas. Colocar las piezas en una bandeja de horno forrada con papel para hornear. Dejar en el horno durante 15 minutos a 250 ºC. Una vez que las piezas se hayan enfriado, lijar los cantos. Después perforar agujeros en los bordes: tres agujeros en cada pieza de los extremos y cuatro agujeros en las demás piezas. Unir las piezas con anillas. Pasar un trozo de alambre para bisutería, hasta la mitad, a través de una pieza de los extremos. Luego enfilar las cuentas, de forma alterna, con los dos extremos del alambre juntos. Proceder del mismo modo con el segundo trozo de alambre. Terminar el collar (página 8).

Una variante es enfilar las cuentas en bastones de alambre con bola y colgarlos en una cadena de eslabones, alternando con las piezas del estuche para CD.

Atención: Las piezas de plástico generan malos olores al fundirse en el horno. ¡Ventilar bien la habitación! Se recomienda utilizar un horno para trabajar exclusivamente las manualidades (para fundir, cocer, etc.).

A N I L L O :

Unir algunas piezas del estuche para CD y perforar en el centro un gran agujero.

Pasar el alambre de aluminio por el agujero, desde abajo, y adaptarlo al diámetro deseado; para ello, enrollarlo alrededor de un bastón para anillos o similar.

Pasar de nuevo el alambre hacia arriba y enfilar una cuenta plateada. Curvar el alambre formando lazadas y después ocultar el extremo del mismo entre las lazadas.

Lápices de colores

 40 MINUTOS

 FÁCIL

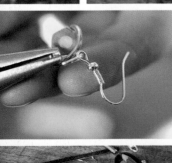

- 13 lápices de colores
- 64 cuentas de color negro, de 8 mm Ø
- 1 cierre magnético
- Alambre para bisutería, de 0,35 mm Ø y 50 cm
- 4 chafas
- 2 cubrechafas
- 2 anillas de 8 mm Ø y 2 anillas de 12 mm Ø
- 2 ganchos para pendientes
- Cinta de caucho, de 6 cm
- 1 piercing con barra
- Laca de uñas o barniz transparente (opcional)

- Equipamiento básico (pág. 8)
- Sierra
- Aguja gruesa

- Recubrir la punta de los lápices de colores con laca para uñas o barniz transparente; así no mancharán la ropa.

BISUTERÍA siete
Lápices de colores

COLLAR:

Cortar nueve lápices de colores con la misma longitud. Luego perforar un agujero en cada lápiz, a 5 mm del final, con el taladro eléctrico y una broca pequeña. Enfilar los nueve lápices de colores y diez cuentas de color negro, de forma alterna, en el alambre para bisutería. Terminar el collar (página 8).

PENDIENTES:

Cortar dos lápices de colores con la misma longitud. Perforar un agujero en los dos lápices, a 5 mm del final. Insertar una anilla en el agujero de cada lápiz y unirlos con los ganchos para pendientes.

ANILLO:

Cortar dos lápices de la misma longitud. Perforar un agujero en el centro. Perforar dos agujeros en los extremos de la cinta de caucho. Insertar la barra del piercing por un lado. Enfilar en la barra los lápices de colores colocados uno junto a otro y alternando el sentido de la punta. Insertar la barra por el otro lado de la cinta y fijarla con la bola del piercing.

Corcho
+ plástico

 20 MINUTOS

 FÁCIL

Corcho + plástico

- Corcho de botella
- Figuras de plástico
- Cuentas planas, 1 grande y 2 pequeñas
- 2 cuentas plateadas, de 4 mm Ø aprox.
- 1 embellecedor para cuentas, de 1-1,5 cm
- Cadena de bolas, de 65 cm aprox.
- Arandelas de tamaños diferentes
- 1 tornillo, de 3 cm
- 1 cáncamo cerrado, de 10 x 3 mm
- 1 anilla, de 10 mm Ø
- 2 bastones de alambre de bola
- 2 ganchos para pendientes

- Equipamiento básico (pág. 8)
- Destornillador

- Utilizar un corcho que nos recuerde alguna ocasión especial.

COLLAR:

Colocar superpuestas cuatro arandelas de tamaños diferentes, ponerlas sobre el corcho y fijar todo con un tornillo.

En el otro extremo del corcho acoplar una cuenta plana grande y un embellecedor para cuentas; fijarlos con un cáncamo.

Colgar el cáncamo en la cadena de bolas por medio de una anilla.

PENDIENTES:

Perforar un pequeño agujero a través de la cabeza de cada figura de plástico. Insertar en el agujero un bastón de alambre con bola y enfilar una cuenta plana pequeña y otra redonda. Curvar una anilla en los extremos de los bastones de alambre con bola y luego fijarlos en los ganchos para pendientes.

Alambres multicolores

 40 MINUTOS

 !!! MEDIO

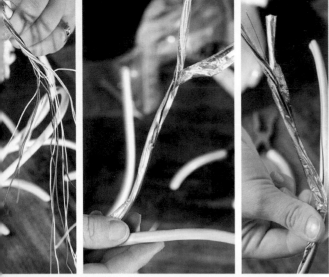

Alambres multicolores

COLLAR:

Cortar los cables de teléfono con un cúter. Desprender el revestimiento con cuidado y dejar al descubierto los alambres de colores del interior. Disponer estos alambres con bonitas combinaciones cromáticas: se necesitan unos 46-52 alambres de unos 65 cm de largo para un cierre magnético de 8 mm Ø. Introducir un extremo del conjunto de alambres dentro de un aro de aluminio de 8 mm Ø y presionar para juntar todo. Modelar el conjunto de alambres con la forma y longitud deseada. Enfilar el aro de aluminio grande, pasando una parte de los alambres por delante del aro y la otra parte por detrás del mismo. Volver a fijar el otro extremo del conjunto de alambres dentro de un aro de aluminio de 8 mm Ø.

En cada extremo del collar, pegar una pieza del cierre magnético con un aro de aluminio. Para pegar los cables, usar pegamento de contacto.

ANILLO:

Hacer dos lazadas con el alambre de electricista o con cable eléctrico alrededor del bastón para anillos del tamaño elegido. Retorcer un extremo del alambre de modo que quede invisible. Colocar otras lazadas al lado o encima, hasta conseguir que el anillo alcance la forma deseada. Retorcer el extremo del alambre de manera que quede lo más oculto posible.

• Alambres multicolores revestidos, de viejos cables de teléfono
• Alambre de electricista o cable eléctrico
• 1 cierre magnético, de 8 mm
• 2 aros de aluminio, de 8 mm Ø
• 1 aro de aluminio grande

• Equipamiento básico (pág. 8)
• Cúter
• Pegamento de contacto
• Bastón para anillos o similar

• Se obtienen muy buenos resultados si se unen varios alambres de diferentes colores.

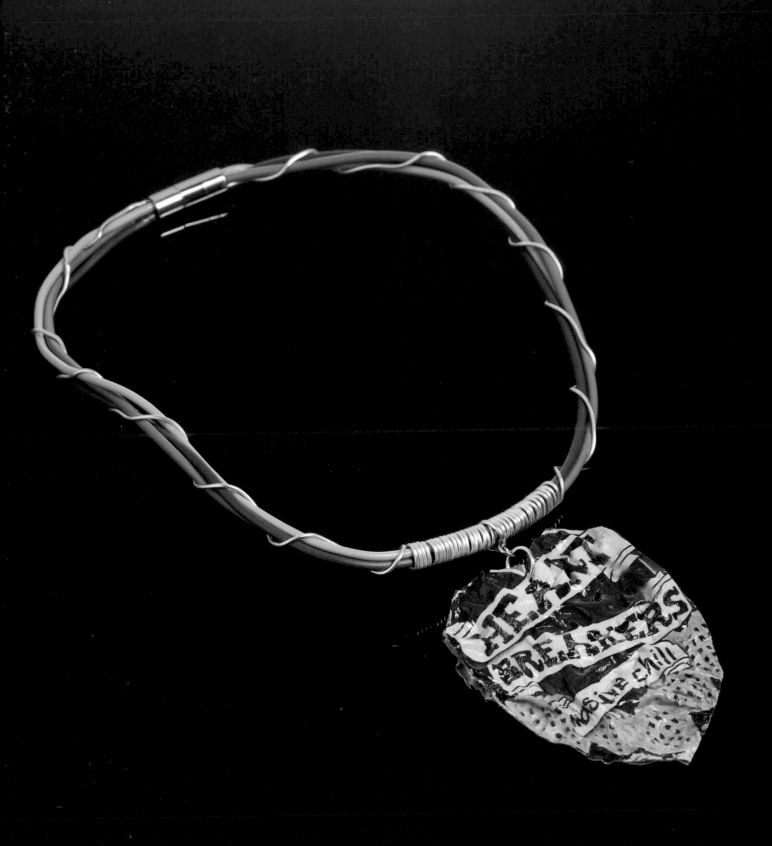

Bolsa de patatas fritas

BISUTERÍA 10

 30 MINUTOS

 MEDIO

BISUTERÍA diez
Bolsa de patatas fritas

COLLAR:

Lavar la bolsa de patatas fritas y dejar que se seque bien. Precalentar el horno a 200 ºC.

Forrar la bandeja del horno con papel para hornear, colocar encima la bolsa de patatas fritas e introducirla en el horno caliente. La bolsa comienza a derretirse enseguida. Una vez que haya alcanzado el tamaño deseado, sacarla del horno, extender encima papel de aluminio y aplanar colocando encima un libro pesado o similar. En cuanto la bolsa se haya enfriado, recortar la forma elegida y perforar un pequeño agujero centrado en la parte de arriba.

Cortar el revestimiento de los cables con un cúter o un cuchillo y luego extraer los alambres del interior. Rellenar una parte del cierre magnético con pegamento de contacto, insertar dentro el conjunto de cables y presionar un momento. Repetir el proceso por el otro lado. Enrollar alambre de aluminio alrededor del conjunto de cables. Por último, fijar en el collar la forma recortada de la bolsa de patatas, utilizando para ello unas anillas.

- Bolsa de patatas fritas
- 2 cables, de 44 cm cada uno
- Alambre de aluminio, de 1 mm Ø y 2 m aprox.
- 1 cierre magnético para pegar, de 6 mm
- 2 anillas, de 8 mm Ø

- Equipamiento básico (pág. 8)
- Tenazas prensoras
- Pegamento de contacto
- Papel para hornear
- Papel de aluminio
- Cúter o cuchillo

- Es preferible utilizar bolsas pequeñas de patatas fritas.

Botellas de plástico

BISUTERÍA 11

 30 MINUTOS

 MEDIO

Botellas de plástico

- Botellas de plástico de diferentes colores
- Cadena de eslabones con cierre
- Cuentas de cristal tallado, de 8 mm Ø, 2 de color cristal y 3 de color verde claro
- 3 cuentas metálicas cuadradas de color plateado, de 15 mm
- 3 bastones de alambre con bola, de 45 mm
- 2 ganchos para pendientes
- 16-18 anillas para el collar
- 2 anillas para los pendientes

- Equipamiento básico (pág. 8)
- Vela
- Aguja

- Conviene utilizar botellas de diferentes colores para obtener unos resultados más bonitos.

COLLAR:

Cortar las botellas de plástico en trozos de diferentes tamaños y formas, lo más variadas posible. Llenar una cazuela con agua y ponerla a hervir. Cuando comience la ebullición, introducir los trozos de botella, de uno en uno y solo un instante; sacarlos con una cuchara. Las piezas se deforman rápidamente, adquiriendo un aspecto distinto según el corte. A continuación, encender la vela y acercar a la llama, durante unos segundos, el borde de las piezas de plástico para redondear un poco los cantos afilados. Con una aguja, perforar agujeros pequeños en la parte superior de cada pieza. Enfilar las cuentas en un bastón de alambre con bola y curvar una anilla en el extremo del mismo.

Cortar la cadena de eslabones a la longitud deseada. Colgar con anillas las piezas de plástico y los colgantes, de forma alterna, en la cadena.

PENDIENTES:

Hacer dos colgantes de plástico para cada pendiente. Unir las piezas, de dos en dos, con una anilla y fijar a los ganchos para pendientes.

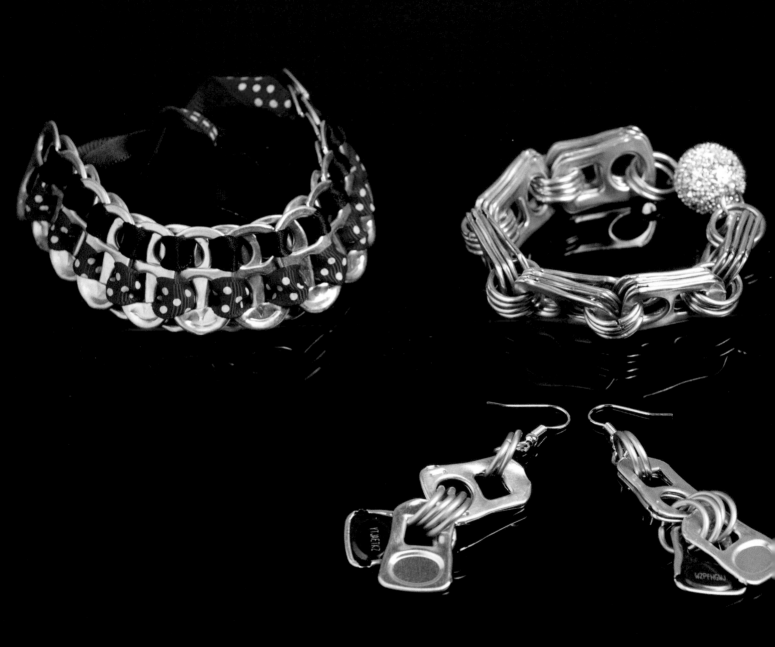

Anillas de latas

 40 MINUTOS

 FÁCIL

BISUTERÍA doce
Anillas de latas

PULSERAS:

Variante A: cada eslabón de la pulsera se compone de cuatro anillas de lata. Las anillas se colocan de dos en dos, de modo que solo quede visible la parte exterior bonita. Unir unos con otros los grupos de cuatro anillas de lata por medio de anillas de 15 mm Ø. Para ello, utilizar de dos a cuatro anillas, a gusto personal. Una vez que la pulsera alcance la longitud deseada, unir las anillas de lata con el cierre magnético, también con anillas de 15 mm Ø.

Variante B: "trenzar" los cierres de lata con cintas formando un brazalete (ver la fotografía). Anudar los extremos en un lazo a modo de cierre.

PENDIENTES:

Colocar las anillas de lata de dos en dos. Unirlas con anillas doradas de 15 mm Ø. Utilizar dos o cuatro anillas de conexión, como se prefiera. Una vez terminados los colgantes, fijarlos con anillas de 8 mm Ø en los ganchos para pendientes.

- Anillas de latas:
  24 para la variante A
  25 para la variante B
- 4 para cada pendiente
- Anillas de 15 mm Ø:
  14-24 plateadas
  y 8-16 doradas
- 2 anillas de 8 mm Ø
- 1 cierre magnético
- Cinta de satén de color negro, de 10 mm de ancho
- Cinta decorativa de color rojo, de 12-15 mm de ancho
- 2 ganchos para pendientes

- Equipamiento básico (pág. 8)

- Las anillas de las latas no deben estar dobladas. Si se usan anillas de colores diferentes, aportarán a la pulsera un toque especial.

Tapones de rosca

 60 MINUTOS

!!! DIFÍCIL

BISUTERÍA trece
Tapones de rosca

- 14 tapones de botella de plástico
- Alambre de aluminio, de 1 mm Ø y 50 cm aprox.
- Alambre para bisutería, de 0,35 mm Ø y 50 cm
- 7-9 cuentas distintas de color a juego, de 6 mm Ø
- 6 cuentas pequeñas transparentes
- 2 elementos de bisutería, redondos
- 1 elemento de bisutería, con forma de corazón
- 2 bastones de alambre con presilla, cortos
- 2 bastones de alambre con aro, largos
- 1 cierre magnético
- 2 ganchos para pendientes
- 1 base para anillos

- Equipamiento básico (pág. 8)
- Pistola de pegamento caliente

- Son muy adecuados los tapones de colores de las botellas de agua mineral. ¡Y cuantos más colores, mucho mejor!

COLLAR:

Perforar un agujero en los laterales y en el centro de cada tapón. Fijar una cuenta con alambre de aluminio en el agujero central de los distintos tapones. Luego enfilar los tapones en el alambre para bisutería y rellenarlos por la parte posterior con pegamento caliente. Terminar el collar (página 8).

PENDIENTES:

Coger dos tapones y perforar un agujero en un lateral y en el centro de cada uno de ellos. Adornar la parte superior de los tapones con cuentas y alambre de aluminio a gusto personal. Insertar un bastón corto de alambre con presilla a través de los agujeros y curvar una anilla en el extremo. Enfilar los elementos de bisutería redondos y las cuentas en bastones largos de alambre con aro. Curvar una anilla en el extremo de estos bastones y colgar en ella los ganchos para pendientes.

ANILLO:

Adornar el tapón con un elemento de bisutería. Rellenar la parte posterior con pegamento caliente y colocarlo sobre una base para anillos. Fijarlo con pegamento de contacto.

Si se desea, se puede hacer una pulsera a juego.

Chapas de botellas

BISUTERÍA 14

20 MINUTOS

!!! FÁCIL

Chapas de botellas

- Chapas de botellas, 1 para cada pendiente y anillo
- 4 anillas de 8 mm Ø y 2 de 6 mm Ø
- 2 ganchos para pendientes
- Cuentas, embellecedores para cuentas (opcional)
- Colgantes charms u otras piezas de bisutería
- Alambre fino, de 8 mm Ø (opcional)
- 1 base para anillos

- Equipamiento básico (pág. 8)
- Pistola de pegamento caliente
- Guantes de trabajo

- Utilice la chapa de una de sus bebidas preferidas. ¿Tal vez alguna que le recuerde unas vacaciones en el extranjero?

PENDIENTES:

Las chapas no deben haber quedado demasiado curvadas al abrir la botella. Perforar en el borde de cada chapa uno o dos agujeros en lugares opuestos. Fijar en cada agujero una anilla y, si se desea, añadir cuentas u otro colgante de bisutería. Por último, colgar todo en los ganchos para pendientes.

ANILLO:

Utilizar la chapa de la botella sin adornos, o colocar estos a gusto personal. Para adornar la chapa, perforar un agujero en el centro. Enfilar una cuenta en un trozo de alambre fino y pasar los extremos de este, a través de un embellecedor para cuentas, hasta la parte posterior de la chapa de la botella. Rellenar hasta el borde con pegamento caliente. Colocar encima la base para anillos y dejar secar. Es recomendable ponerse unos guantes de trabajo, porque la chapa se calienta mucho. Después de unos 10 minutos, el pegamento está seco y ya se puede utilizar el anillo.

Nespresso® 2

BISUTERÍA 15

 60 MINUTOS

 MEDIO

BISUTERÍA quince
Nespresso® 2

COLLAR:

Coser juntos dos trozos de pelo de peluche con hilo de nailon transparente para hacer una cuenta (página 77). Repetir para hacer una segunda cuenta de peluche. Enfilar el colgante con anilla en el alambre para bisutería. A continuación enfilar, a izquierda y a derecha, las cuentas, los elementos de bisutería y los charms. Terminar el collar (página 8).

Aplanar dos cápsulas de Nespresso® aplicándoles golpes con la maza de goma. Perforar con la aguja un agujero en el centro de la cápsula. Enfilar una cuenta y dos embellecedores para cuentas en alambre de aluminio, pasar los extremos del alambre por el agujero de la cápsula hasta la parte posterior de la misma y después unir las dos cápsulas con pegamento caliente. Perforar un agujero en el borde de las cápsulas, fijarlas con una anilla y colgar esa anilla en el colgante con anilla.

ANILLO:

Trabajar las cápsulas como se describe en el collar y pegarlas juntas. Pegar la base para anillos en la parte inferior de las mismas.

PENDIENTES:

Hacer dos cuentas con trozos de pelo de peluche y enfilarlas con otras cuentas en los bastones de alambre con bola. Curvar una anilla en el final de cada bastón y colgarlos en los ganchos para pendientes.

- 4 cápsulas de Nespresso®
- 35-40 cuentas, con formas diferentes
- 4 cuentas, de 6 mm Ø (para las cuentas con pelo de peluche)
- Elementos de bisutería y colgantes charms
- 1 colgante con anilla, plateado
- 4 embellecedores para cuentas
- Pelo de peluche, restos
- Cinta de satén, restos (opcional)
- Alambre para bisutería, de 0,35 mm Ø y 50 cm
- Alambre de aluminio, de 2 mm Ø y 20 cm
- 4 chafas
- 2 cubrechafas
- 1 cierre magnético
- 1 anilla
- 2 bastones de alambre con bola, de 7 cm
- 1 base para anillos
- 2 ganchos para pendientes
- Hilo de nailon transparente

- Equipamiento básico (pág. 8)
- Maza de goma o ablandador de carne
- Pistola de pegamento caliente
- Guantes de trabajo
- Aguja

- Se recomienda disponer todas las cuentas de forma simétrica antes de empezar a enfilarlas.

Cables

 20 MINUTOS

 FÁCIL

BISUTERÍA dieciséis
Cables

- Cable de electricista (con hilo conductor de cobre), de 1,5 m aprox. (para un brazalete de tamaño mediano)
- 1 cuenta, de 25 mm Ø
- Alambre de aluminio de color cobre, de 1 mm Ø y 2 m

- Equipamiento básico (pág. 8)

- Tener cuidado de no cortar el revestimiento de los cables al trabajar con los alicates de corte lateral.

BRAZALETE:

Curvar una lazada en un extremo del cable de electricista utilizando los alicates de punta redonda. Después curvar el alambre en distintas direcciones: realizar círculos, lazadas u ondas, como se prefiera.

Hacer una lazada más grande en el centro del cable para colocar la cuenta. Luego enrollar alambre de aluminio alrededor del brazalete curvado, a gusto personal.

Al llegar al centro del brazalete, enfilar la cuenta en el alambre de aluminio y fijarla con varias lazadas pequeñas. Seguir enrollando el alambre de aluminio hasta el final. Por último, adaptar la forma del brazalete al contorno del brazo o de la muñeca.

Cuentas + pelo de peluche

BISUTERÍA 17

 60 MINUTOS

 FÁCIL

Cuentas + pelo de peluche

COLLAR:

Coser un trozo de pelo de peluche (de 2–2,5 cm aprox.) con hilo de nailon transparente alrededor de una cuenta de 6 mm Ø.

Enfilar una anilla hasta la mitad del alambre para bisutería, donde más adelante se fijará el colgante. Enfilar una cuenta grande con los dos extremos del alambre juntos. Luego enfilar diferentes cuentas en cada extremo del alambre: la cuenta de pelo de peluche, piedras de bisutería, etc., alternando formas y colores. Una vez alcanzada la longitud deseada, terminar el collar (página 8).

ANILLO:

Coser una cuenta de pelo de peluche. Aplicar en la costura un poco de pegamento de contacto y pegarlo sobre una base para anillos.

Si se desea, se pueden realizar unos pendientes con tonos a juego.

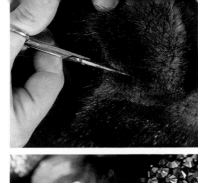
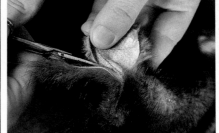
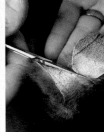

- Cuentas, piedras y elementos de bisutería con diferentes formas, de color rojo, plateado y negro
- 1 anilla, de 8 mm Ø
- 1 cuenta, de 6 mm Ø
- 1 colgante de corazón, plateado
- Alambre para bisutería, de 0,35 mm Ø y 90 cm aprox.
- Pelo de peluche, restos
- 1 cierre de mosquetón
- 1 base para anillos
- Hilo de nailon transparente

- Equipamiento básico (pág. 8)
- Pegamento de contacto
- Aguja

- ¡En este proyecto, cuantos más colores y cuentas con formas originales se utilicen, mucho mejor!

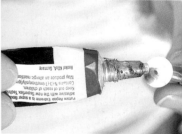

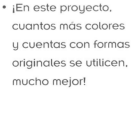

OTROS TÍTULOS PUBLICADOS

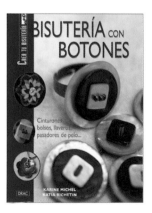

Bisutería con nudos y cuentas

76 nudos chinos, celtas y ornamentales explicados paso a paso

TENDENCIAS · CREADAS POR TI

Suzen Millodot

Bisutería con nudos chinos y cuentas

originales proyectos explicados paso a paso

TENDENCIAS · CREADAS POR TI

BISUTERÍA con NUDOS CELTAS

Suzen Millodot

Autora del best seller Bisutería con nudos chinos y cuentas

TENDENCIAS · CREADAS POR TI

Bisutería con nudos ornamentales y cuentas

NUEVOS NUDOS · NUEVOS PROYECTOS · NUEVOS DISEÑOS

Suzen Millodot · Autora del best seller Bisutería con nudos chinos y cuentas

TENDENCIAS · CREADAS POR TI

Bisutería con micro macramé y cuentas

20 proyectos de última moda explicados paso a paso

Suzen Millodot

Autora del best seller Bisutería con nudos chinos y cuentas

Crea tu bisutería

BISUTERÍA Y ACCESORIOS DE MODA CON MACRAMÉ

Más de 25 proyectos con gráficos en color

SYLVIE HOOGHE

Diseño y Moda · DRAC

Pulseras de la amistad con diseños y colores de moda

Trenzadas con hilos y adornadas con cuentas

Inge Walz

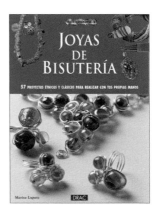

JOYAS DE BISUTERÍA

57 PROYECTOS ÉTNICOS Y CLÁSICOS PARA REALIZAR CON TUS PROPIAS MANOS

Marina Lupato

Diseño y Moda · DRAC

Diana Averdiek
Annett Taraba

Bisutería con Charms

18 joyas con adornos colgantes realizados paso a paso con cuentas Delicas, cuentas de cristal Swarovski®, cuentas de cristal glaseado y cuentas de rocalla

Bisutería con CUENTAS Y CHARMS

30 JOYAS CON ADORNOS COLGANTES REALIZADAS PASO A PASO CON TÉCNICAS SENCILLAS

Katherine Duncan Aimone

Crea tu bisutería

BISUTERÍA CON NÁCAR

SYLVIE HOOGHE

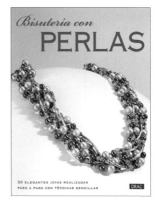

Bisutería con PERLAS

30 ELEGANTES JOYAS REALIZADAS PASO A PASO CON TÉCNICAS SENCILLAS

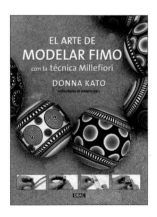

Más información sobre estos y otros títulos en nuestra página web:
www.editorialeldrac.com